7 opowieści,

aby pozbyć się złości i ukoić smutki

Tytuł oryginału: 7 Histoires pour calmer les colères et les petits chagrins
Projekt okładki: Isabelle Borne
Tłumaczenie: Anna Matusik-Dyjak
Redakcja: Barbara Szymanek
DTP: Zbigniew Szwarc

ISBN 978-83-274-1698-8

Firma Księgarska Olesiejuk Spółka z ograniczoną odpowiedzialnością Sp.j.
05-850 Ożarów Mazowiecki, ul. Poznańska 91
wydawnictwo@olesiejuk.pl
www.wydawnictwo-olesiejuk.pl

Dystrybucja: www.olesiejuk.pl

Druk: Drukarnia Perfekt S.A.

7 opowieści,

aby pozbyć się złości
i ukoić smutki

Spis treści

Sekret Antosia
i jego taty

Tego ranka tata odprowadza Antosia do przedszkola. Jest dumny ze swojego synka – Antoś jest już dużym chłopcem!

– Dzień dobry, Antosiu! – wita go pani. – Powiesisz jabłuszko ze swoim imieniem na drzewku?

Antoś z pomocą taty przyczepia jabłko ze swoim imieniem najwyżej, jak tylko może, na narysowanym na ścianie drzewie. Już czas iść do pracy, tata kieruje się więc w stronę wyjścia.

– Miłego dnia, synku! Do zobaczenia wieczorem!

Antoś jest smutny, nie chce zostawać w przedszkolu bez taty.

– Nie ułożyłeś jeszcze mojego króliczka, tato! – mówi chłopiec, ciągnąc rodzica za rękę do kosza z maskotkami.

– Proszę, twój króliczek jest już razem ze swoimi kolegami! Naprawdę muszę już iść! – mówi tata, całując Antosia.

Chłopcu mocno bije serduszko. Ściska tatę za rękę.

– Tatusiu, nie obejrzałeś jeszcze mojego ślimaka! – mówi, wskazując powieszony na ścianie rysunek.

– Masz rację, jest piękny, ale na mnie już czas! – tłumaczy tata, któremu nieco się spieszy. Antoś czuje, że do oczu napływają mu łzy – tata z pewnością teraz go opuści! Gdyby chociaż mógł zostać jeszcze przez chwilę!

– Chce mi się siusiu. Chodź, tato! – oznajmia Antoś, kierując się ku drzwiom z zamiarem wyjścia z klasy. Pani jednak się nie zgadza:

– Antosiu, pozwól tacie już iść. Do toalety pójdziesz ze mną!

Policzki chłopca przybierają czerwony kolor, pani nic nie zrozumiała, przecież on chce, aby tata tutaj został!

– Chcę zostać w przedszkolu z moim tatusiem! –

denerwuje się, tupiąc nóżką i wydzierając się wniebogłosy. Po czym zasłania drzwi tak, aby nikt nie mógł wyjść z sali. Wszyscy na niego patrzą, a pani aż przeciera oczy ze zdumienia.

Tata podchodzi do synka. Antoś wtula się w jego ramiona, czuje zapach tatusiowego swetra, a po policzkach płyną mu łzy.

Nie może opanować smutku!

– Chodź, Antosiu – mówi tata – usiądziemy sobie tam, w kąciku.

I siadają przy stoliku do rysowania. Tata bierze niebieski flamaster i rysuje małego człowieczka. Potem bierze zielony flamaster i rysuje dużą postać, która trzyma mniejszą za rękę.

– Widzisz? – zwraca się do synka. – Ten niebieski człowiek to ty, a zielony – to ja. Trzymamy się za ręce i jesteśmy razem. Teraz złożę kartkę i włożę ci ją do kieszeni. To będzie nasz sekret.

Antoś wyciera łzy. Dobrze jest dzielić tajemnicę z tatą. To dodaje mu odwagi. Chłopiec odprowadza tatę do drzwi.

– Do widzenia, tatusiu! Do zobaczenia później! – mówi i tata wychodzi.

START RAJDU

Antoś dotyka schowanej w kieszeni kartki papieru.

– Chcesz się ze mną pobawić w warsztat samochodowy? – pyta
Marysia.

Oczywiście, że chce, ale nadal trzyma rękę w kieszeni, blisko rysunku.

– Czerwony samochód to samochód mojego taty – oznajmia Antoś.

– A moja mama ma różowy samochód – wyjaśnia Marysia.

Antoś jest zadowolony,

dziewczynka naprawdę potrafi się bawić samochodzikami. Chłopiec wyjmuje
rękę z kieszeni. Sekret cały czas tam jest... Teraz może się bawić przez cały dzień,
używając obu rączek!

9

Aby rano w przedszkolu nie być smutnym

1

Rano w przedszkolu smucisz się, kiedy rodzic musi już iść? Zabierz ze sobą ulubioną przytulankę. Po to właśnie jest!

2

Smutek nie mija? Dorosły po raz ostatni mocno cię przytuli.

3

To nie wystarczy? Rodzic wycałuje twoją przytulankę. Kiedy wyjdzie, a ty zbliżysz do niej policzek, dostaniesz... buziaka od tatusia lub mamusi!

4

Odprowadź rodzica wzrokiem aż do wyjścia i pożegnaj się, mówiąc: „Do widzenia, do zobaczenia później!".

5

Teraz powtórz jedną z magicznych formułek: „Tata wyszedł, tata o mnie myśli, tata po mnie wróci..." albo: „Mamusia wyszła, mamusia o mnie myśli, mamusia po mnie wróci...".

6

Czujesz się już lepiej? Włóż przytulankę do kosza i idź się pobawić. Zobaczysz – szybko zapomnisz o smutku.

Moja przytulanka

Wraz z tatą i z mamą mała myszka Joasia po raz pierwszy uczestniczy w nenufarowej przeprawie! Oczywiście zabrała również swoją przytulankę – ten śmieszny pluszowy kotek z jednym uchem nigdy jej nie opuszcza.

Podróż dobiegła końca! Państwo Myszkowscy zbierają swoje rzeczy i chwytają walizki.

– Joasiu, weź swój plecaczek!

Szybko, szybko, wszyscy schodzą na ląd! Mała myszka spieszy się, jak może...

Po powrocie do domu Joasia ma ogromną ochotę przytulić się do swojego pluszowego kotka.

Zagląda do plecaczka – pusty, potrząsa nim na wszystkie strony... ani śladu kotka! Myszka sprawdza pod kanapą, pod łóżkiem, pod szafką w przedpokoju, ale przytulanki nigdzie nie ma.

– Mamusiu, widziałaś może mojego kotka? Nie mogę go znaleźć! – mówi nieco zaniepokojona.

– Sprawdź w swojej walizce! – radzi mama.

Joasi nie trzeba dwa razy powtarzać, wyjmuje wszystkie swoje ubranka z prędkością błyskawicy. Po przytulance nadal ani śladu! Mała myszka dostrzega walizkę taty – ją również otwiera z bijącym sercem.

– Hurra! Kotku, znalazłam cię! – słychać radosny okrzyk.

– O, nie, to tylko para skarpetek taty!

Joasia czuje w gardle narastającą kulę. Jeszcze nigdy nie zgubiła swojej przytulanki...

13

Na dodatek zaczyna zapadać zmierzch!

– Nie będę mogła zasnąć bez mojego kotka, mamusiu! – łka myszka, a po policzkach spływają jej wielkie jak grochy łzy.

Pani Myszkowska mocno przytula córeczkę.

– Nie płacz, kochanie. Jestem pewna, że go znajdziemy. Spróbuj sobie przypomnieć, gdzie widziałaś go po raz ostatni.

Joasia myśli o nenufarowej przeprawie. Nagle przypomina sobie, jak pokazywała kotkowi wszystkie rosnące na brzegu rzeki rośliny.

– On został na moim nenufarze! – wykrzykuje.

– Bardzo dobrze, jutro rano zadzwonię do Pani Ropuchy. Jestem pewna, że ktoś odniósł twoją przytulankę do kapitanatu.

– To miejsce, w którym śpią zagubione maskotki? – chce wiedzieć mała myszka, na nowo zaniepokojona o swojego kotka, który do tej pory nie spał nigdzie indziej niż u niej.

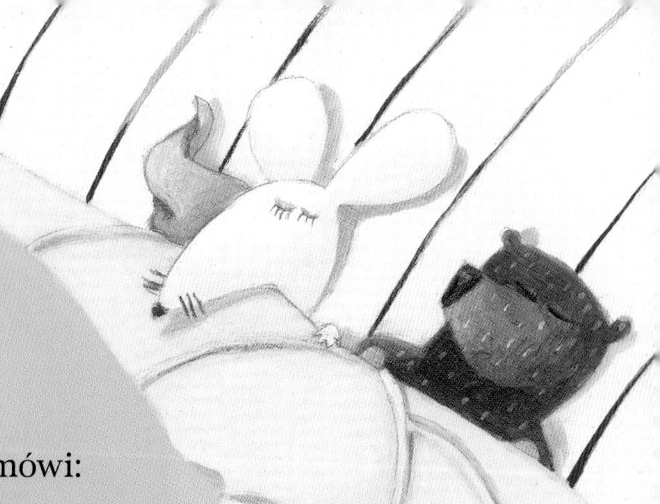

Pan Myszkowski gładzi córeczkę po policzku i mówi:

– Tak, i jestem przekonany, że twój przyjaciel pozna tam mnóstwo nowych kolegów!

Joasia kładzie się do łóżka. Nadal trochę się martwi, ale mama pożycza jej mięciutką chusteczkę, którą może przyłożyć do policzka, a tata układa obok niej swojego starego pluszowego misia, który odpędza złe sny.

Nazajutrz rano myszka budzi się bardzo wcześnie i z uwagą przysłuchuje się telefonicznej rozmowie mamy z Panią Ropuchą.

– Pluszowy kotek z jednym uchem? Tak, to dokładnie ten, którego zgubiła moja córeczka. Za chwilę będziemy, aby go odebrać!

Joasia nie posiada się ze szczęścia:

– Hurra! Hurra! – krzyczy. – Mój kotek się znalazł! Powiedz, mamusiu, sądzisz, że ja również będę mogła spać w kapitanacie z zagubionymi przytulankami?

Aby nie być smutnym, kiedy zgubi się przytulankę

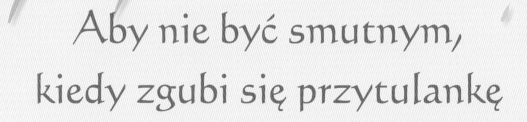

Twoja przytulanka zniknęła? Sprawdź, czy nie ma jej pod łóżkiem lub za kaloryferem!

Zapytaj głośno: „Gdzie jesteś, przytulanko?".

Poproś mamę, aby pomogła ci w poszukiwaniach, i opowiedz, co robiłeś ze swoją przytulanką w ciągu dnia.

4

Popatrz na wszystkie inne maskotki, które znajdują się w twoim pokoju, i wybierz ulubioną. O, na przykład tamta, zapomniałeś o niej, prawda?

5

Tej nocy to ona będzie z tobą spała... No już! Połóż się wygodnie w łóżeczku.

6

Spróbuj szybko zasnąć... Przytulanki to dowcipnisie – zawsze w końcu znajdują się tuż pod naszym nosem!

Skrzat Chwat

– **N**ie znoszę soczewicy i marchewki! – Emilek krzyknął tak głośno, że aż podskoczyła woda w stojącej na stole szklance.

– Ty niczego nie lubisz, Emilku – odpowiada mama spokojnym tonem.

– Nieprawda! Lubię frytki i makaron z sosem pomidorowym!

– Wiem, ale jeśli codziennie przygotowywałabym ci te dania, stałbyś się małym grubaskiem.

Emilek, czerwony ze złości, uderza piąstką w stół. Zamiast się gniewać, mama pyta:

– Chcesz, żebym opowiedziała ci historię? Pewnego razu był sobie malutki skrzat, który miał czapeczkę z marchewki. Wołano na niego skrzat Chwat...

– Dlaczego? – pyta zaciekawiony Emilek.

– Dlatego, że moja czapeczka dodaje energii – odpowiada szorstki głos dobiegający z talerza.

Emilek szeroko otwiera oczy. Na środku talerza, na soczewicy, siedzi sobie skrzat Chwat.

– A więc, mój drogi, kaprysi się przy jedzeniu, co? – stwierdza osobliwa postać, udając, że jest zagniewana. – To błąd, że nie chcesz jeść soczewicy. Ukryty jest w niej cenny skarb. Cenniejszy niż skrzynie złota na pirackiej fregacie.

– Naprawdę...? – Emilek jest wyraźnie zainteresowany.

– Poszukaj w swoim talerzu, a zobaczysz! – zachęca skrzat z tajemniczą miną.

Chłopcu nie trzeba dwa razy powtarzać, chwyta widelec i zaczyna szuflować. Jedna porcja za drugą, pochłania danie, nawet nie zdając sobie z tego sprawy.

W końcu talerz jest pusty.

No dobrze, ale gdzie jest obiecany skarb?

– W twoim brzuszku, mój chłopcze – mówi skrzat. – Zjadłeś soczewicę, która jest bogata w żelazo. To cenniejsze niż srebro i złoto i da ci siłę prawdziwego pirata!

Emilek czuje narastającą złość. Nieźle dał się nabrać! Gwałtownym gestem zdejmuje skrzatowi czapeczkę z marchewki i połyka ją, aby się zemścić.

W tym momencie skrzat znika jak za dotknięciem czarodziejskiej różdżki, a mama mówi:

– Brawo, Emilku!

Wszystko zjadłeś, nawet marchewkę! Opowieść skrzata Chwata zawsze pomaga dzieciom dokończyć jedzenie.

Emilek już nic z tego nie rozumie. Skąd się wziął ten skrzat? Nie ma jednak czasu, aby się nad tym zastanowić, gdyż...

– W pełni zasłużyłeś na deser – mówi mama. – **Co byś powiedział na lody waniliowo-czekoladowe?**

Emilek się uśmiecha. Powiedziałby... że tym razem nie ma powodu się złościć!

Widząc, jak synek pałaszuje deser, mama wybucha śmiechem:

– Ale energia! Można rzec: herszt piratów w akcji! Skrzat Chwat nie kłamał, prawda?

Aby się nie złościć podczas posiłku

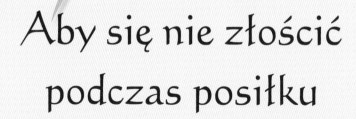

1

Na swoim talerzu ułóż z jedzenia twarz ludzika. Poproś rodziców o pomoc.

2

Zjedz trzy porcje i powiedz: „Ludziku, schrupałem już twoje oczy i nos...".

3

Zjedz kolejne trzy i dodaj: „Jestem wygłodniałym olbrzymem i wkrótce połknę cię całego...".

4

Wypij trochę wody i głęboko odetchnij. To daje olbrzymom siłę!

5

Zjedz jeszcze kilka porcji i oświadcz: „Teraz, kiedy prawie zniknąłeś, już za chwilę czeka mnie...".

6

Dokończ ludzika i zdanie: „...w pełni zasłużony deser!".

Ruda
i Brązek

Jesień w pełni. U stóp dębu w złocistych liściach warchlaczek, imieniem Brązek, właśnie znalazł skarb – pięć gładkich żołędzi, które błyszczą niczym nowiutkie monety!

Nie kryjąc zadowolenia, zaczyna przetaczać je ku sobie, kiedy nagle z korony dębu dobiega głos:

– O, jakie piękne żołędzie!

W kilku skokach wiewiórka zwana Rudą znajduje się obok Brązka.

– A może pobawimy się razem?

Brązek chrząka mało przyjaźnie. Sierść jeży mu się na grzbiecie, warchlaczek pochyla głowę i staje w pozycji bojowej:

– To są **moje żołędzie!** To ja je znalazłem!

Ruda, nie czekając na dalszy rozwój wypadków,
natychmiast wspina się z powrotem na drzewo.
Kiedy jest już na górze, rzuca kpiącym tonem:

– Szkoda! Mam setki kulek do zabawy. Mogłabym
ci je pożyczyć... ale teraz nie mam już ochoty się z tobą bawić!
Słysząc te słowa, Brązek wpada w furię. Naśladując swojego
tatę, króla stada dzików, kiedy ten się złości, warchlak rzuca
się na pień dębu tak, jakby chciał go wyrwać z korzeniami...

– Oddaj mi kulki! Natychmiast! – wydziera się
wniebogłosy.
Jako jedyna odpowiedź spada mu na głowę coś kłującego.

– Aj! To boli!

Brązek masuje głowę i przygląda się pociskowi, który uderzając o ziemię, otworzył się na pół. Wewnątrz znajduje się śliczny okrągły kasztan.

– Co sądzisz o tym kasztanie? – pyta Ruda. – Popełniłeś błąd, że nie chciałeś podzielić się swoimi zabawkami. Mogliśmy dokonać wymiany... no, ale teraz jest już za późno!

Teraz Brązek wpada w jeszcze większą złość. Przygotowuje się właśnie do kolejnego ataku, kiedy nagle miejsce jego wściekłości zajmuje strach, słyszy bowiem coraz głośniejsze ujadanie. Galopem nadciąga sfora psów.

Przerażony warchlak zaczyna biec na swoich krótkich nóżkach, ale psy wpadają już na polanę!

Siedząca w koronie drzewa wiewiórka nie waha się ani sekundy. Psy są jej najgorszymi wrogami. Pomimo złości na Brązka decyduje się go ocalić i zrzuca na ziemię całą swoją kolekcję kulek.

Ogłuszone psy zatrzymują się, nie rozumiejąc, co się stało. Kiedy mają już zamiar wznowić gonitwę, łapy rozjeżdżają im się na grubym dywanie z kulek! Ślizgając się i potykając, rezygnują z dalszego pościgu, a Brązek ukrywa się w głębokiej norze. W końcu zwierzęta zawracają z podkulonymi ogonami, aby dołączyć do myśliwych...

Po kilku minutach warchlak delikatnie wychyla czubek nosa ze swojej kryjówki, a potem truchta do drzewa i woła wiewiórkę:

– Ruda, dziękuję, że uratowałaś mi życie. Z przyjemnością pożyczę ci żołędzie i... masz może jeszcze ochotę się ze mną bawić?

Jeden skok i Ruda jest na dole.

– Wiesz, jesteś dużo fajniejszy, kiedy się nie złościsz... – mówi do swojego nowego kolegi.

Aby pożyczać swoje zabawki i nie wpadać w złość

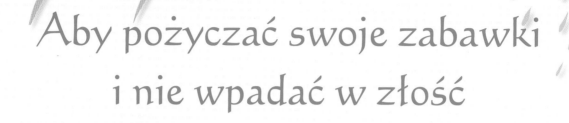

1

Powiedz swojej zabawce, że uwielbiasz się nią bawić...

2

...ale że inne dzieci również mogą się nią cieszyć.

3

Jeśli kolega poprosi cię o pożyczenie zabawki, nie odmawiaj mu.

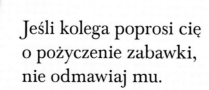

4

Powiedz: „Oczywiście, możesz ją wziąć, ale zwróć mi ją później".

5

Zanim odzyskasz zabawkę, możesz poprosić kolegę, aby pożyczył ci swoją. Dzięki temu pobawisz się czymś nowym!

6

Możecie również pobawić się razem. Zaproponuj: „Chętnie się z tobą podzielę, możemy pobawić się we dwoje".

Jeszcze raz!

– Nie, nie, nie i nie, ja chcę jeszcze raz! – Rafałek jest wściekły.
Karuzela właśnie się zatrzymała i babcia prosi chłopca, aby z niej zszedł.

– Rafałku, to był ostatni raz, mówiłam ci! – tłumaczy spokojnie babcia.

Rafałek z całej siły ściska kierownicę ulubionego
radiowozu z błyskającym na dachu niebieskim
kogutem.

– Nie, ja chcę jeszcze raz, chcę, i już!

Na miejsce w policyjnym autku czeka już kolejne dziecko, mała dziewczynka.

– Rafałku, wystarczy! – upomina chłopca babcia. – Proszę się natychmiast wypiąć z pasów i ustąpić miejsca!

– Nie, radiowóz jest tylko dla chłopców! – protestuje Rafałek, nie poruszając się nawet o milimetr. Chłopiec wrogo spogląda na babcię i dziewczynkę – na policzkach ma wypieki i czuje, że do oczu napływają mu łzy.

Babcia wchodzi na karuzelę. Rafałek natychmiast sam się odpina i gwałtownie wyskakuje z samochodu. Biegnie co sił w nogach, aby ukryć się za drzewem i nie pokazać dziewczynce, że płacze.

– Rafałku, zaczekaj, wystarczy! – woła babcia, szybko podchodząc do drzewa.

Rafałek płacze i uderza piąstkami w pień, krzycząc:

– Nie lubię babci, nie lubię karuzeli!

Babcia nie jest zadowolona, wcale, ale to wcale.

– Co to ma znaczyć? Nie cieszysz się, że przyszliśmy na karuzelę? Oddychaj głęboko i spróbuj się uspokoić.

Rafałek nie chce rozmawiać. Odwraca głowę w kierunku karuzeli i wpatruje się w nią z uwagą. Dziewczynka wydaje się świetnie bawić w JEGO radiowozie. Na karuzeli jest jeszcze samolot, w którym chłopiec siedział nieco wcześniej. Patrzcie, wygląda, jakby zanurkował w jego kierunku. I żyrafa z długą szyją, która kiwa z uśmiechem głową i mijając go, puszcza oczko. Rafałkowi jest smutno, że nie jeździ już na karuzeli, ale pociesza go fakt, że jego przyjaciele o nim nie zapominają.

– Nie jest łatwo zejść z karuzeli, prawda? – pyta babcia.

– Tak, to trudne! – odpowiada Rafałek, który już

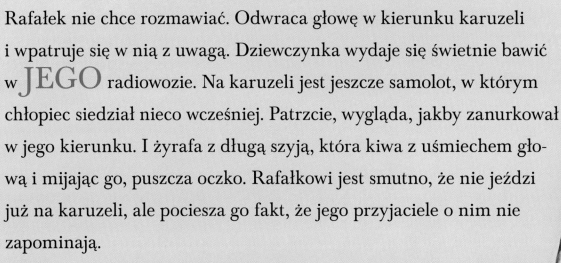

prawie wcale nie czuje złości.

Ding!
Ding!

Babcia aż podskakuje – to pedałuje sprzedawca lodów, który ustawia się pod drzewem, tam gdzie zwykle.

– A co ty na to, żeby zjeść po dwie kulki lodów na poprawę nastroju? – proponuje babcia, puszczając do Rafałka oko. – Zapytaj, może dziewczynka też będzie miała ochotę...

Przed kręcącą się karuzelą stoją babcia, Rafałek oraz mała dziewczynka i jej tata. Jedzą pistacjowe, truskawkowe i czekoladowe lody.

– Dzisiaj byliśmy już na karuzeli – mówi Rafałek. – Pobawimy się na niej znowu, kiedy przyjdziemy

kolejnym razem.

Aby się nie złościć, kiedy trzeba zejść z karuzeli

1 Karuzela się zatrzymuje. To była już ostatnia kolejka, a ty masz ochotę na jeszcze jedną. Czujesz narastającą złość i chce ci się płakać. Biegnij szybko do babci. Ona będzie wiedziała, jak cię pocieszyć.

2 Chcesz tupać nóżką i się wściekasz? Poproś babcię i pobiegnijcie bardzo szybko, wydając indiańskie okrzyki! To naprawdę pomaga!

3 Sądzisz, że nikt cię nie rozumie? Babcia może ci opowiedzieć o karuzeli ze swojego dzieciństwa. Ona też mogła się złościć, kiedy zabawa dobiegała końca.

4

Dobrym pomysłem jest zaśpiewanie z babcią ulubionej piosenki.

5

Po wyjściu z wesołego miasteczka możecie coś jeszcze razem zrobić: pójść na spacer, na zjeżdżalnię lub zjeść coś pysznego...

6

Kiedy złość minie, pamiętaj, aby podziękować babci, że zabrała cię na karuzelę. Wtedy z pewnością będzie miała ochotę wrócić tam z tobą innym razem!

Niespodzianka Małego Wilczka

– **D**o widzenia, Babciu Wilczyco! Do zobaczenia, Dziadku Wilku!
Wakacje dobiegły końca. Mały Wilczek macha rączką na pożegnanie
i patrzy na oddalający się samochód dziadków. Nagle z oczu zaczynają mu płynąć łzy. Nie może ich powstrzymać i czuje się nieswojo, jakby
wielka gula stanęła mu w gardle.

– Nie bądź smutny, kochanie... – pociesza go Mama Wilczyca.

– Dlaczego nie mogą być u nas przez cały czas? – pociąga nosem
Mały Wilk. – Babcia Wilczyca może ci pomagać w kuchni, a Dziadek Wilk
tnie drewno szybciej niż tata!

– Wiesz przecież, że dziadkowie mają różne rzeczy do zrobienia w swoim
domu. No, chodź już, przygotuję ci naleśniki...

– Z konfiturą Babci Wilczycy?

– Oczywiście – uśmiecha się Mama Wilczyca. – Babcia zostawiła dwa słoiczki, specjalnie dla ciebie...

Dzień strasznie się dłuży Małemu Wilczkowi. Tata Wilk poszedł do pracy – nie ma czasu, aby zabrać Małego Wilczka na ryby, tak jak Dziadek Wilk.

Mama natomiast zajmuje się młodszą siostrzyczką Małego Wilczka i nie ma czasu bawić się z nim, jak to robiła Babcia Wilczyca.

Wieczorem Tata Wilk czyta synkowi książkę. Dziadek Wilk sam wymyśla mrożące krew w żyłach opowieści o myśliwych, które Mały Wilczek uwielbia! Babcia Wilczyca natomiast zna mnóstwo kołysanek i potrafi je zaśpiewać

jak nikt inny.

Gdy tylko Mały Wilczek o tym myśli, znowu zbiera mu się na płacz. Kiedy Mama Wilczyca przychodzi, aby dać mu całusa na dobranoc, postanawia ostatecznie przepędzić smutek synka.

– Wiesz, Mały Wilczku – mówi – za dwa tygodnie są urodziny Babci Wilczycy i zrobimy jej miłą niespodziankę. – Mały Wilczek aż podskakuje w swoim łóżeczku. Nagle nie czuje już smutku! – Pojedziemy wszyscy czworo do babci i dziadka, nie uprzedzając ich o naszej wizycie, a ty wręczysz prezent, który sam przygotujesz.

Nazajutrz Mały Wilczek kładzie na stole nowy album, flamastry, zebrane razem z Babcią Wilczycą kwiatki, które ususzył, oraz wszystkie zrobione w czasie wakacji zdjęcia.

– Album ma dwanaście stron – tłumaczy Mama Wilczyca. – Jeśli udekorujesz jedną stronę dziennie, skończysz przygotowywać prezent w przeddzień naszej wizyty niespodzianki!

Mały Wilczek bardzo się stara: przykleja, rysuje, dodaje elementy z kolorowego papieru i...

dni błyskawicznie mijają!

– Ding-dong! WSZYSTKIEGO NAJLEPSZEGO Z OKAZJI URO-
DZIN, BABCIU WILCZYCO! – Mały Wilczek mocno przytula się do babci
i z dumą wręcza jej wykonany przez siebie prezent. Dziadkowi również daje
śliczny rysunek. Ach, jak się cieszy, że znowu ich widzi!

– Przepiękne, Mały Wilczku! – zachwyca się Babcia Wilczyca. – A oto nasza
niespodzianka dla ciebie – sweterek, który zrobiłam na drutach, abyś zawsze
czuł, że jesteśmy blisko...

Mały Wilczek ma wielką ochotę na ogromnego całusa.

– Dziadku Wilku, Babciu Wilczyco, bardzo was kocham!

Aby się nie smucić, kiedy wyjeżdżają dziadkowie

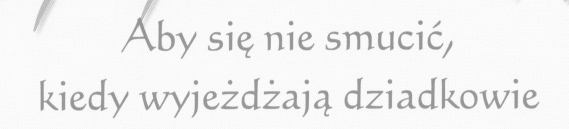

1

Nigdy nie ukrywaj smutku. Powiedz tacie i mamie, że jest ci źle. To przyniesie ci ulgę.

2

Obejrzyj z tatą zdjęcia miłych chwil spędzonych z dziadkami.

3

Poproś mamę o kartkę papieru i flamastry, aby stworzyć ładny rysunek. Jutro wrzucisz kopertę do skrzynki na listy, aby przesłać rysunek dziadkom.

Sprawdź w kalendarzu liczbę nocy,
które dzielą was od kolejnego spotkania!
Każdego ranka możesz stawiać krzyżyk!

A może zadzwonisz do babci i dziadka,
aby opowiedzieć im, jak ci minął dzień?

Tej nocy przed snem pomyśl
życzenie, abyście bardzo szybko
znowu się spotkali, i prześlij im
mnóstwo buziaków!

Nie jestem śpiący!

– **P**łetwy, siusiu i do łóżka!

Colin, mała rybka, nie słucha mamy. Jest zbyt zajęty wypuszczaniem jeżowców na supertor wyścigowy, który zbudował razem z kuzynami.

– Jest bardzo późno! – nalega Pani Plankton. – Twoi kuzyni już poszli i czas kłaść się spać!

– Ale ja nie jestem śpiący! – odpowiada Colin, falując łuskami. Obraca się wokół własnej osi, wypuszczając duże pęcherzyki powietrza i odmawia włożenia swojej piżamy w paski.

Pani Plankton zaczyna się niecierpliwić i nieco mocniej porusza skrzelami:

– Pospiesz się, Colinie! Nie będę powtarzać!

Mama jest naprawdę bardzo zdenerwowana. Staje się pomarańczowa, potem czerwona!

– Colin... Ostatnie ostrzeżenie!

Wypuszczając mnóstwo pęcherzyków powietrza, Colin wysyła w głąb koralow-
ców wszystkie swoje piękne jeżowce i zaczyna nadymać się niczym ogromny
balon.

– Nie chcę spać, nie jestem śpiący!

– Dość tego! Proszę, abyś natychmiast powędrował do swojego ukwia-
łu! – odpowiada mama zdecydowanym tonem. Colin nadal jednak nie słucha
i zaczyna migotać niczym światło latarni morskiej! – Colinie, jesteś na najlep-
szej drodze, abym się naprawdę na ciebie zezłościła!

Pani Plankton spogląda surowym wzrokiem, który naprawdę może budzić
respekt. W końcu synek decyduje się włożyć piżamę i umyć płetwy.

„Mama wszystko popsuła! A tak ładnie bawiłem się jeżowcami! Nie lubię
jej!" – myśli Colin.

Po wyjściu z lagunowej toalety rzuca się na swój ukwiał i uderza z całych sił
ogonem w brzeg łóżka.

– Nie chcę już słyszeć ani słowa! Pora spać! – mówi mama,
zaciągając zasłonkę z rozgwiazd. Colin jest wyczerpany i płacze – łzy
cikną mu jedna za drugą. Nagle robi się bardzo ciemno. Ojej!
Przed Colinem pojawia się olbrzymia ośmiornica z ogromnymi mackami!

– Na pomoc! Na pomoc! – krzyczy rybka.

Pani Plankton natychmiast znajduje się przy synku.

– Miałeś zły sen, kochanie! – uspokaja Colina, a on wtula się
w jej płetwy.

– Chciała mnie zjeść przerażająca ośmiornica! – tłumaczy. – Tak bardzo się wystraszyłem!

– No już, spokojnie! Widzisz, nie jest dobrze kłaść się spać zdenerwowanym! Jesteś malutką rybką, która potrzebuje snu. Wieczorem, kiedy nadchodzi godzina spania, trzeba grzecznie iść do łóżka.

Pani Plankton gładzi Colina po łuskach i zapala nocną lampkę – meduzę.

– Opowiesz mi bajkę, kochana mamusiu?

– Oczywiście. A znasz tę o małej syrence? Pewnego dnia w podwodnym królestwie...

Pani Plankton się uśmiecha. Colin właśnie zasnął...

– Dobrej nocy, mój skarbie mórz!
Do jutra!

Aby kłaść się spać bez złości

1

Mama zapala lampkę i delikatnie zamyka drzwi do twojego pokoju, aby zapewnić ci ciszę i spokój.

2

Połóż się, oprzyj głowę o poduszkę, a ręce wyciągnij wzdłuż ciała.

3

Zrób dwa lub trzy spokojne, powolne wdechy. To pozwoli ci przepędzić złość!

Nadal czujesz podenerwowanie? Przypomnij sobie jedną ze swoich ulubionych piosenek i cichutko ją zanuć.

Otwórz drzwi do pokoju i powiedz mamie, że chcesz ją jeszcze pocałować przed zaśnięciem! Przyjemnie się tak przytulić, prawda?

A może opowiesz mamie o tym, co chcesz robić jutro? Świetnie, teraz musisz spać, aby przydarzyło się to możliwie najszybciej!